사고력 수학 소마가 개발한 연산학습의 새 기준!!
소마의 마술같은 원리셈

소마셈

K2
5·6·7세

수학이 즐거워지는 특별한 수학교실 **소마샘**
소마에서 개발한 연산교재 소마샘

2002년 대치소마 개원 이후로 끊임없는 교재 연구와 교구의 개발은 소마의 자랑이자 자부심입니다. 교구, 게임, 토론 등의 다양한 활동식 수업으로 스스로 문제해결능력을 키우고, 아이들이 수학에 대한 흥미와 자신감을 가질 수 있도록 차별성 있는 수업을 해 온 소마에서 연산 학습의 새로운 패러다임을 제시합니다.

연산 교육의 현실

연산 교육의 가장 큰 폐해는 '초등 고학년 때 연산이 빠르지 않으면 고생한다.'는 기존 연산 학습지의 왜곡된 마케팅으로 인해 단순 반복을 통한 기계적 연산을 강조하는 것입니다. 하지만, 기계적 반복을 위주로 하는 연산은 개념과 원리가 빠진 연산 학습으로써 아이들이 수학을 싫어하게 만들 뿐 아니라 사고의 확장을 막는 학습방법입니다.

초등수학 교과과정과 연산

초등교육과정에서는 문자와 기호를 사용하지 않고 말로 풀어서 연산의 개념과 원리를 설명하다가 중등교육과정부터 문자와 기호를 사용합니다. 교과서를 살펴보면 모든 연산의 도입에 원리가 잘 설명되어 있습니다. 요즘 현실에서는 연산의 원리를 묻는 서술형 문제도 많이 출제되고 있는데 연산은 연습이 우선이라는 인식이 아직도 지배적입니다.

연산 학습은 어떻게?

연산 교육은 별도로 떼어내어 추상적인 숫자나 기호만 가지고 다뤄서는 절대로 안됩니다. 구체물을 가지고 생각하고 이해한 후, 연산 연습을 하는 것이 필요합니다. 또한, 속도보다 정확성을 위주로 학습하여 실수를 극복할 수 있는 좋은 습관을 갖추는 데에 초점을 맞춰야 합니다.

소마셈 연산학습 방법

10이 넘는 한 자리 덧셈 　구체물을 통한 개념의 이해

덧셈과 뺄셈의 기본은 수를 세는 데에 있습니다. 8+4는 8에서 1씩 4번을 더 센 것이라는 개념이 중요합니다.
10의 보수를 이용한 받아 올림을 생각하면 8+4는 (8+2)+2지만 연산 공부를 시작할 때에는 덧셈의 기본 개념
에 충실한 것이 좋습니다. 이 책은 구체물을 통해 개념을 이해할 수 있도록 구체적인 예를 든 연산 문제로 구성
하였습니다.

가로셈 　가로셈을 통한 수에 대한 사고력 기르기

세로셈이 잘못된 방법은 아니지만 연산의 원리는 잊고 받아 올림한 숫자는 어디에 적어야 하는지만을 기억하여
마치 공식처럼 풀게 합니다. 기계적으로 반복하는 연습은 생각없이 연산을 하게 만듭니다. 가로셈을 통해 원리를
생각하고 수를 쪼개고 붙이는 등의 과정에서 키워질 수 있는 수에 대한 사고력도 매우 중요합니다.

곱셈구구 　곱셈도 개념 이해를 바탕으로

곱셈구구는 암기에만 초점을 맞추면 부작용이 큽니다. 곱셈은 덧셈을 압축한 것이라는 원리를 이해하며 구구단
을 외움으로써 연산을 빨리 할 수 있다는 것을 알게 해야 합니다. 곱셈구구를 외우는 것도 중요하지만 곱셈의
의미를 정확하게 아는 것이 더 중요합니다. 4×3을 할 줄 아는 학생이 두 자리 곱하기 한 자리는 안 배워서
45×3을 못 한다고 말하는 일은 없도록 해야 합니다.

소마셈 학습가이드

K단계 (5, 6, 7세) • 연산을 시작하는 단계

뛰어세기, 거꾸로 뛰어세기를 통해 수의 연속한 성질(linearity)을 이해하고 덧셈, 뺄셈을 공부합니다. 각 권의 호흡은 짧지만 일관성 있는 접근으로 자연스럽게 나선형식 반복학습의 효과가 있도록 하였습니다.

학습대상 : 연산을 시작하는 아이와 한 자리 수 덧셈을 구체물(손가락 등)을 이용하여 해결하는 아이

학습목표 : 수와 연산의 튼튼한 기초 만들기

P단계 (7세, 1학년) • 받아올림이 있는 덧셈, 뺄셈을 배울 준비를 하는 단계

5, 6, 9 뛰어세기를 공부하면서 10을 이용한 더하기, 빼기의 편리함을 알도록 한 후, 가르기와 모으기의 집중학습으로 보수 익히기, 10의 보수를 이용한 덧셈, 뺄셈의 원리를 공부합니다.

학습대상 : 받아올림이 없는 한 자리 수의 덧셈을 할 줄 아는 학생

학습목표 : 받아올림이 있는 연산의 토대 만들기

A단계 (1학년) • 초등학교 1학년 교과과정 연산

받아올림이 있는 한 자리 수의 덧셈, 뺄셈은 연산 전체에 매우 중요한 단계입니다. 원리를 정확하게 알고 A1에서 A4까지 총 4권에서 한 자리 수의 연산을 다양한 과정으로 연습하도록 하였습니다.

학습대상 : 초등학교 1학년 수학교과과정을 공부하는 학생

학습목표 : 10의 보수를 이용한 받아올림이 있는 덧셈, 뺄셈

B단계 (2학년) • 초등학교 2학년 교과과정 연산

두 자리, 세 자리 수의 연산을 다룬 후 곱셈, 나눗셈을 다루는 과정에서 곱셈구구의 암기를 확인하기보다는 곱셈구구를 외우는데 도움이 되고, 곱셈, 나눗셈의 원리를 확장하여 사고할 수 있도록 하는데 초점을 맞추었습니다.

학습대상 : 초등학교 2학년 수학교과과정을 공부하는 학생

학습목표 : 덧셈, 뺄셈의 완성 / 곱셈, 나눗셈의 원리를 정확하게 알고 개념 확장

C단계 (3학년) • 초등학교 3, 4학년 교과과정 연산

B단계까지의 소마셈은 다양한 문제를 통해서 학생들이 즐겁게 연산을 공부하고 원리를 정확하게 알게 하는데 초점을 맞추었다면, C단계는 3학년 과정의 큰 수의 연산과 4학년 과정의 혼합 계산, 괄호를 사용한 식 등, 필수 연산의 연습을 충실히 할 수 있도록 하였습니다.

학습대상 : 초등학교 3, 4학년 수학교과과정을 공부하는 학생

학습목표 : 큰 수의 곱셈과 나눗셈, 혼합 계산

D단계 (4학년) • 초등학교 4, 5학년 교과과정 연산

분모가 같은 분수의 덧셈과 뺄셈, 소수의 덧셈과 뺄셈을 공부하여 초등 4학년 과정 연산을 마무리하고 초등 5학년 연산과정에서 가장 중요한 약수와 배수, 분모가 다른 분수의 덧셈과 뺄셈을 충분히 익힐 수 있도록 하였습니다.

학습대상 : 초등학교 4, 5학년 수학교과과정을 공부하는 학생

학습목표 : 분모가 같은 분수의 덧셈과 뺄셈, 소수의 덧셈과 뺄셈, 분모가 다른 분수의 덧셈과 뺄셈

소마셈 단계별 학습내용

Ｋ단계 추천연령 : 5, 6, 7세

단계	K1	K2	K3	K4
권별 주제	10까지의 더하기와 빼기 1	20까지의 더하기와 빼기 1	10까지의 더하기와 빼기 2	20까지의 더하기와 빼기 2
단계	K5	K6	K7	K8
권별 주제	10까지의 더하기와 빼기 3	20까지의 더하기와 빼기 3	20까지의 더하기와 빼기 4	7까지의 가르기와 모으기

Ｐ단계 추천연령 : 7세, 1학년

단계	P1	P2	P3	P4
권별 주제	30까지의 더하기와 빼기 5	30까지의 더하기와 빼기 6	30까지의 더하기와 빼기 10	30까지의 더하기와 빼기 9
단계	P5	P6	P7	P8
권별 주제	9까지의 가르기와 모으기	10 가르기와 모으기	10을 이용한 더하기	10을 이용한 빼기

Ａ단계 추천연령 : 1학년

단계	A1	A2	A3	A4
권별 주제	덧셈구구	뺄셈구구	세 수의 덧셈과 뺄셈	□가 있는 덧셈과 뺄셈
단계	A5	A6	A7	A8
권별 주제	(두 자리 수)+(한 자리 수)	(두 자리 수)-(한 자리 수)	두 자리 수의 덧셈과 뺄셈	□가 있는 두 자리 수의 덧셈과 뺄셈

Ｂ단계 추천연령 : 2학년

단계	B1	B2	B3	B4
권별 주제	(두 자리 수)+(두 자리 수)	(두 자리 수)-(두 자리 수)	세 자리 수의 덧셈과 뺄셈	덧셈과 뺄셈의 활용
단계	B5	B6	B7	B8
권별 주제	곱셈	곱셈구구	나눗셈	곱셈과 나눗셈의 활용

Ｃ단계 추천연령 : 3학년

단계	C1	C2	C3	C4
권별 주제	두 자리 수의 곱셈	두 자리 수의 곱셈과 활용	두 자리 수의 나눗셈	세 자리 수의 나눗셈과 활용
단계	C5	C6	C7	C8
권별 주제	큰 수의 곱셈	큰 수의 나눗셈	혼합 계산	혼합 계산의 활용

Ｄ단계 추천연령 : 4학년

단계	D1	D2	D3	D4
권별 주제	분모가 같은 분수의 덧셈과 뺄셈(1)	분모가 같은 분수의 덧셈과 뺄셈(2)	소수의 덧셈과 뺄셈	약수와 배수
단계	D5	D6		
권별 주제	분모가 다른 분수의 덧셈과 뺄셈(1)	분모가 다른 분수의 덧셈과 뺄셈(2)		

1

연산활동

연산은 생활에서 자주 접하게 되므로 지면 연습과 더불어 구체물을 이용하여 활동하면 연산을 이해하는데 도움이 됩니다. 가정에서 엄마가 아이와 대화하면서 재미있고 자연스럽게 연산활동을 합니다.

TIP 활동하는 방법 또는 활동에 도움이 되는 내용을 담았습니다.

2

원리 & 연습

구체물 또는 그림을 통해 연산의 원리를 쉽게 이해하고, 원리의 이해를 바탕으로 연산이 익숙해지도록 연습합니다.

사고력 연산

반복적인 연산에서 나아가 배운 원리를 활용하여 확장된 문제를 해결합니다. 어려운 문제를 싣기보다 다양한 생각을 할 수 있는 내용으로 구성하였습니다.

Drill (보충학습)

주차별 주제에 대한 연습이 더 필요한 경우 보충학습을 활용합니다.

더하기 빼기 1

준비물 : 1~20 수카드 2세트

1. 1~20 수 카드 20장을 엄마와 아이가 10장씩 나누어 가집니다.

2. 다른 수 카드 1세트를 잘 섞어 뒤집어 쌓아 놓고 한 장을 뒤집어 수가 보이
   도록 놓습니다.

3. 뒤집은 카드의 수보다 1 더한 수나 1 뺀 수를 가지고 있으면 모두 바닥에 내려
   놓습니다.

4. 가진 카드를 모두 내려놓을 때까지 합니다.

| 13 | 11 |

12

내려놓을 수 있는 카드

내려놓을 카드가 아이에게 있다면 아이가 카드를 찾을 수 있도록 기다려 주세요.

소마셈 K2 - 1주차

20까지의 수

11~20 알아보기

🌱 개수를 세어 □ 안에 수를 써넣으세요.

11

🌱 동전을 세어 □ 안에 알맞은 수를 써넣으세요.

20까지 수 세기

🌱 10개씩 묶은 다음, 개수를 세어 써 보세요.

13

🌱 과녁의 점수를 세어 보세요.

수의 순서 (1)

 수의 순서에 맞게 빈칸에 알맞은 수를 써넣으세요.

1	2	3	4	5	6	7	8	9	10
11	12	13	14	15	16	17	18	19	20

6	7	8	9

10	11		13

12	13	14	

14		16	17

9	10		12

8	9		11

15	16		18

17		19	

13		15	16

16	17		19

🌱 수의 순서에 맞게 빈칸에 알맞은 수를 써넣으세요.

수의 순서 (2)

🌱 수의 순서에 맞게 빈칸에 알맞은 수를 써넣으세요.

1	2	3	4	5	6	7	8	9	10

1		3	4	5		7	8		

1	2	3			6	7		9	

11	12	13	14			17	18	19	

11		13		15	16	17	18		

11	12		14		16			19	20

11		13			16		18	19	

🌱 수의 순서에 맞게 빈칸에 알맞은 수를 써넣으세요.

1	2	3	4		6	7		9	10
	12	13	14	15		17		19	20

1		3		5	6		8	9	
11	12	13		15	16	17	18	19	

1	2		4	5	6	7		9	10
11		13		15	16		18	19	

1	2	3	4	5			8	9	10
	12		14	15		17	18		20

🌱 수의 순서에 맞게 1부터 20까지 점을 이어 그림을 완성하세요.

수의 순서에 맞게 길을 그려 보세요.

크기 비교

🌱 개수를 세어 보고, 더 큰 수에 색칠하세요.

더 큰 수에 ◯표 하세요.

갈림길에서 가장 큰 수를 따라 길을 그려 보세요.

소마셈 K2 - 2주차

20까지의
다음 수, 이전 수

다음 수

 □ 안에 다음 수를 써넣으세요.

| 11 | 12 | 13 | 14 | 15 | 16 | 17 | 18 | 19 | 20 |

11 ──다음 수──→ 12

| 10 | 11 | 12 | |

12 ──다음 수──→ [ ]

| 11 | 12 | 13 | |

13 ──다음 수──→ [ ]

| 12 | 13 | 14 | |

14 ──다음 수──→ [ ]

| 13 | 14 | 15 | |

15 ──다음 수──→ [ ]

| 14 | 15 | 16 | |

16 ──다음 수──→ [ ]

| 15 | 16 | 17 | |

17 ──다음 수──→ [ ]

□ 안에 다음 수를 써넣으세요.

10 ──다음 수──▶ □

11 ──다음 수──▶ □

12 ──다음 수──▶ □

16 ──다음 수──▶ □

13 ──다음 수──▶ □

15 ──다음 수──▶ □

17 ──다음 수──▶ □

16 ──다음 수──▶ □

18 ──다음 수──▶ □

19 ──다음 수──▶ □

14 ──다음 수──▶ □

13 ──다음 수──▶ □

□ 안에 이전 수를 써넣으세요.

□ 안에 이전 수를 써넣으세요.

☐ ← 이전 수 11   ☐ ← 이전 수 12

☐ ← 이전 수 14   ☐ ← 이전 수 16

☐ ← 이전 수 15   ☐ ← 이전 수 18

☐ ← 이전 수 17   ☐ ← 이전 수 13

☐ ← 이전 수 19   ☐ ← 이전 수 20

☐ ← 이전 수 12   ☐ ← 이전 수 14

다음 수와 이전 수

🌱 □ 안에 다음 수와 이전 수를 써넣으세요.

☐ 안에 다음 수와 이전 수를 써넣으세요.

☐ 이전 수 ← 10 다음 수 → ☐

☐ 이전 수 ← 11 다음 수 → ☐

☐ 이전 수 ← 13 다음 수 → ☐

☐ 이전 수 ← 16 다음 수 → ☐

☐ 이전 수 ← 15 다음 수 → ☐

☐ 이전 수 ← 17 다음 수 → ☐

☐ 이전 수 ← 18 다음 수 → ☐

☐ 이전 수 ← 12 다음 수 → ☐

☐ 이전 수 ← 19 다음 수 → ☐

☐ 이전 수 ← 14 다음 수 → ☐

사이의 수

 빈칸에 사이의 수를 써 보세요.

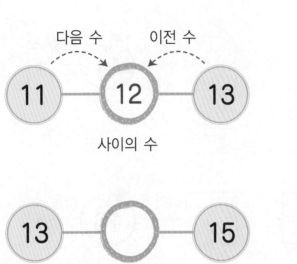
다음 수   이전 수
11   12   13
사이의 수

12   ○   14
사이의 수

13   ○   15
사이의 수

14   ○   16
사이의 수

15   ○   17
사이의 수

16   ○   18
사이의 수

17   ○   19
사이의 수

18   ○   20
사이의 수

10   ○   12
사이의 수

13   ○   15
사이의 수

빈칸에 알맞은 수를 써넣으세요.

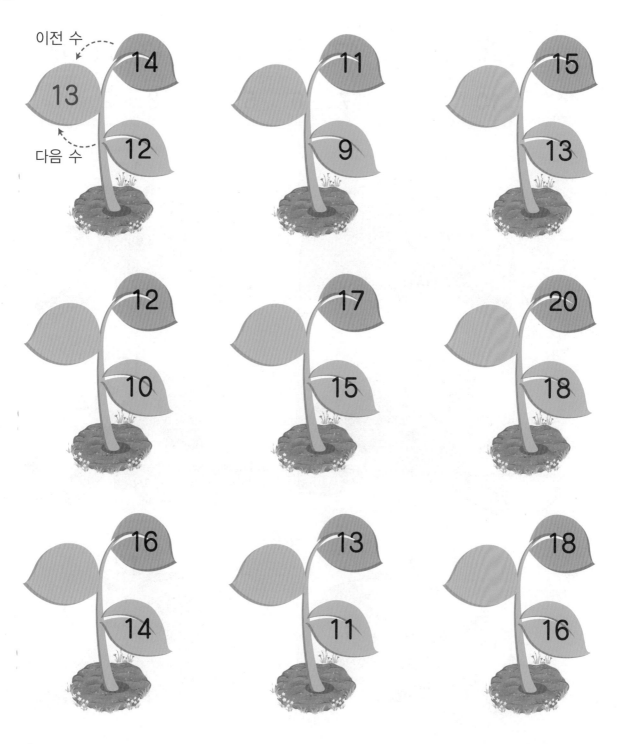

이전 수

13

14

12

다음 수

11

9

15

13

12

10

17

15

20

18

16

14

13

11

18

16

거꾸로 세기

🌱 수를 거꾸로 세면서 빈칸에 알맞은 수를 써넣으세요.

20	19	18	17	16	15	14	13	12	11
10	9	8	7	6	5	4	3	2	1

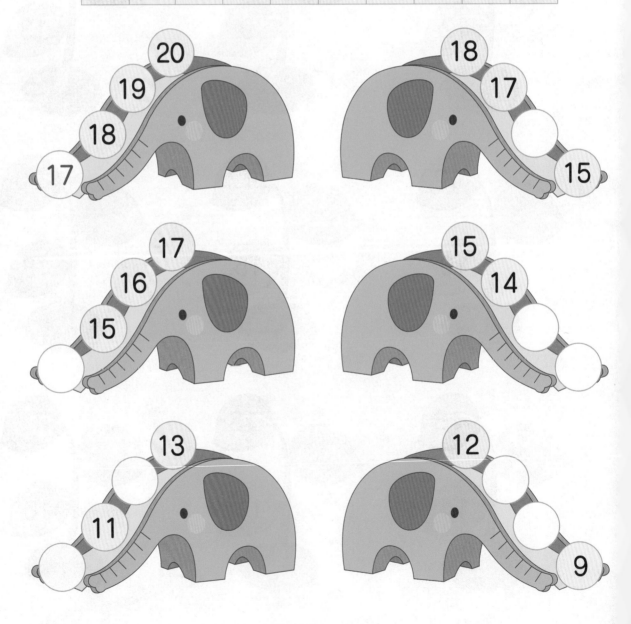

수를 거꾸로 세면서 빈칸에 알맞은 수를 써넣으세요.

| 10 | 9 | | 7 | |

| 12 | 11 | | 9 | |

| 15 | 14 | 13 | | |

| 20 | 19 | | | 16 |

| 11 | 10 | | 8 | |

| 17 | 16 | 15 | | |

| 20 | | 18 | 17 | |

| 13 | 12 | | | 9 |

| 13 | 12 | | | 9 | 8 | 7 |

| 20 | 19 | 18 | | | 15 | |

| 19 | 18 | | 16 | 15 | | |

20에서 시작하여 수를 거꾸로 세어 가며 길을 그려 보세요.

32 소마셈 – K2

소마셈 K2 - 3주차

20까지의 1 뛴 수

1개 더 색칠하여 1 큰 수를 써 보세요.

11 ──1 큰 수→ **12**

12 ──1 큰 수→ ☐

13 ──1 큰 수→ ☐

14 ──1 큰 수→ ☐

15 ──1 큰 수→ ☐

16 ──1 큰 수→ ☐

17 ──1 큰 수→ ☐

18 ──1 큰 수→ ☐

1개 더 색칠하여 1 큰 수를 써 보세요.

12 → 1 큰 수 → ☐

10 → 1 큰 수 → ☐

11 → 1 큰 수 → ☐

14 → 1 큰 수 → ☐

16 → 1 큰 수 → ☐

17 → 1 큰 수 → ☐

18 → 1 큰 수 → ☐

19 → 1 큰 수 → ☐

1 뛴 수

 1 뛴 수를 써 보세요.

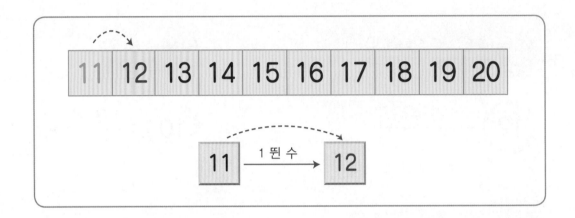

| 11 | 12 | 13 | 14 | 15 | 16 | 17 | 18 | 19 | 20 |

11 —1 뛴 수→ 12

12 —1 뛴 수→ ⬜

13 —1 뛴 수→ ⬜

14 —1 뛴 수→ ⬜

15 —1 뛴 수→ ⬜

16 —1 뛴 수→ ⬜

17 —1 뛴 수→ ⬜

18 —1 뛴 수→ ⬜

19 —1 뛴 수→ ⬜

11 —1 뛴 수→ ⬜

13 —1 뛴 수→ ⬜

월

일

🌱 1 뛴 수를 써 보세요.

| 12 | 1 뛴 수 → | ◯ | | 10 | 1 뛴 수 → | ◯ |

| 9 | 1 뛴 수 → | ◯ | | 11 | 1 뛴 수 → | ◯ |

| 13 | 1 뛴 수 → | ◯ | | 15 | 1 뛴 수 → | ◯ |

| 17 | 1 뛴 수 → | ◯ | | 16 | 1 뛴 수 → | ◯ |

| 18 | 1 뛴 수 → | ◯ | | 19 | 1 뛴 수 → | ◯ |

| 14 | 1 뛴 수 → | ◯ | | 12 | 1 뛴 수 → | ◯ |

더하기 1 (1)

 □ 안에 알맞은 수를 써넣으세요.

1 뛴 수

| 11 | 12 | 13 | 14 | 15 |

11 + 1 = 12

1 뛴 수

| 12 | 13 | 14 | 15 | 16 |

12 + 1 = ☐

13 + 1 = ☐

14 + 1 = ☐

15 + 1 = ☐

16 + 1 = ☐

17 + 1 = ☐

18 + 1 = ☐

19 + 1 = ☐

11 + 1 = ☐

12 + 1 = ☐

14 + 1 = ☐

빈칸에 알맞은 수를 써넣으세요.

+1 →

11	12
12	13
13	14

+1 →

9	
10	
11	

+1 →

13	
14	
15	

+1 →

16	
15	
14	

+1 →

18	
17	
16	

+1 →

19	
18	
17	

더하기 1 (2)

 □ 안에 알맞은 수를 써넣으세요.

10 + 1 = 11

11 + 1 =

12 + 1 =

13 + 1 =

14 + 1 =

15 + 1 =

🌱 1씩 더해 가며 빈칸에 알맞은 수를 써넣으세요.

바꾸어 더하기

 □ 안에 알맞은 수를 써넣으세요.

$10 + 1 =$ 　11

$1 + 10 =$ 　11

$12 + 1 =$

$1 + 12 =$

$13 + 1 =$

$1 + 13 =$

$14 + 1 =$

$1 + 14 =$

□ 안에 알맞은 수를 써넣으세요.

$1 + 12 =$ ☐ $13 + 1 =$ ☐

$1 + 10 =$ ☐ $1 + 11 =$ ☐

$18 + 1 =$ ☐ $17 + 1 =$ ☐

$1 + 9 =$ ☐ $16 + 1 =$ ☐

$19 + 1 =$ ☐ $1 + 14 =$ ☐

$1 + 11 =$ ☐ $1 + 10 =$ ☐

빈칸에 알맞은 수를 써넣으세요.

1 + 10 = ☐
+
1
=
1 + ☐ = ☐

1 + 15 = ☐
+
16
=
☐ + 1 = ☐

12 + 1 = ☐
+
17
=
1 + ☐ = ☐

1 + 19 = ☐
+
13
=
☐ + 1 = ☐

소마셈 K2 - 4주차

20까지의
거꾸로 1 뛴 수

1 작은 수

 1개를 지워 1 작은 수를 써 보세요.

$11 \leftarrow$ 1 작은 수 12

$\boxed{} \leftarrow$ 1 작은 수 13

$\boxed{} \leftarrow$ 1 작은 수 14

$\boxed{} \leftarrow$ 1 작은 수 15

$\boxed{} \leftarrow$ 1 작은 수 16

$\boxed{} \leftarrow$ 1 작은 수 17

 $\boxed{} \leftarrow$ 1 작은 수 18

 $\boxed{} \leftarrow$ 1 작은 수 19

1개를 지워 1 작은 수를 써 보세요.

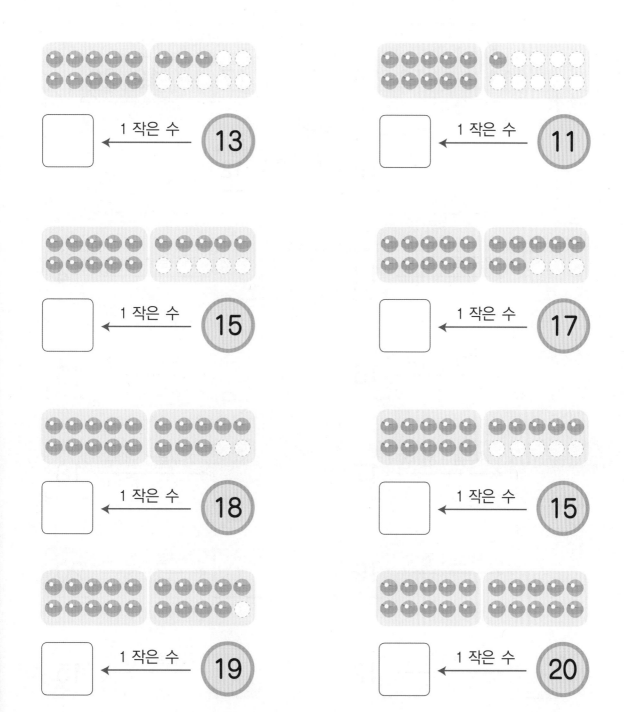

1 작은 수 ← 13

1 작은 수 ← 11

1 작은 수 ← 15

1 작은 수 ← 17

1 작은 수 ← 18

1 작은 수 ← 15

1 작은 수 ← 19

1 작은 수 ← 20

거꾸로 1 뛴 수

 거꾸로 1 뛴 수를 써 보세요.

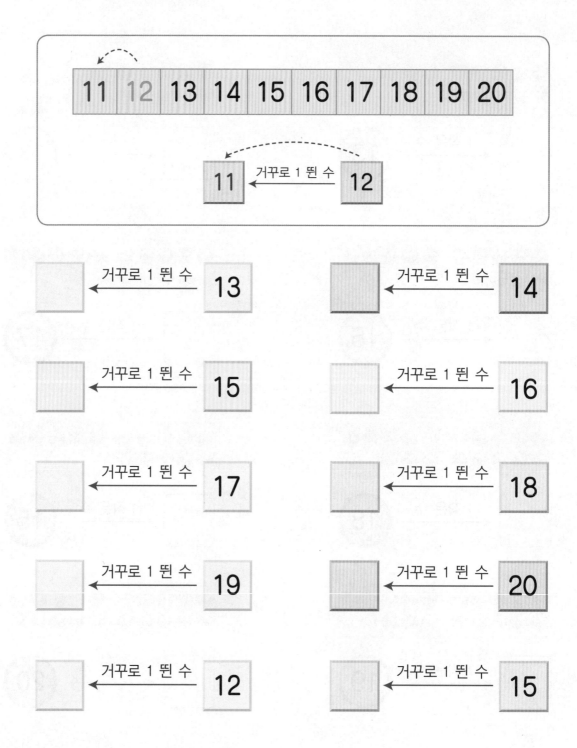

| 11 | 12 | 13 | 14 | 15 | 16 | 17 | 18 | 19 | 20 |

11 ← 거꾸로 1 뛴 수 12

거꾸로 1 뛴 수 ← 13

거꾸로 1 뛴 수 ← 14

거꾸로 1 뛴 수 ← 15

거꾸로 1 뛴 수 ← 16

거꾸로 1 뛴 수 ← 17

거꾸로 1 뛴 수 ← 18

거꾸로 1 뛴 수 ← 19

거꾸로 1 뛴 수 ← 20

거꾸로 1 뛴 수 ← 12

거꾸로 1 뛴 수 ← 15

🌱 거꾸로 1 뛴 수를 써 보세요.

( ) ← 거꾸로 1 뛴 수 ⟵ (13)　　( ) ← 거꾸로 1 뛴 수 ⟵ (12)

( ) ← 거꾸로 1 뛴 수 ⟵ (11)　　( ) ← 거꾸로 1 뛴 수 ⟵ (15)

( ) ← 거꾸로 1 뛴 수 ⟵ (14)　　( ) ← 거꾸로 1 뛴 수 ⟵ (17)

( ) ← 거꾸로 1 뛴 수 ⟵ (16)　　( ) ← 거꾸로 1 뛴 수 ⟵ (18)

( ) ← 거꾸로 1 뛴 수 ⟵ (19)　　( ) ← 거꾸로 1 뛴 수 ⟵ (20)

( ) ← 거꾸로 1 뛴 수 ⟵ (13)　　( ) ← 거꾸로 1 뛴 수 ⟵ (17)

빼기 1 (1)

 □ 안에 알맞은 수를 써넣으세요.

거꾸로 1 뛴 수

| 11 | 12 | 13 | 14 | 15 |

12 - 1 = 11

거꾸로 1 뛴 수

| 12 | 13 | 14 | 15 | 16 |

13 - 1 =

14 - 1 =

15 - 1 =

16 - 1 =

17 - 1 =

18 - 1 =

19 - 1 =

20 - 1 =

11 - 1 =

13 - 1 =

16 - 1 =

빈칸에 알맞은 수를 써넣으세요.

（−1）

12	11
13	12
14	13

（−1）

14	
15	
16	

（−1）

9	
10	
11	

（−1）

15	
14	
13	

（−1）

18	
17	
16	

（−1）

20	
19	
18	

빼기 1 (2)

 □ 안에 알맞은 수를 써넣으세요.

11 − 1 = 10

12 − 1 =

13 − 1 =

14 − 1 =

15 − 1 =

16 − 1 =

1씩 빼어 가며 빈칸에 알맞은 수를 써넣으세요.

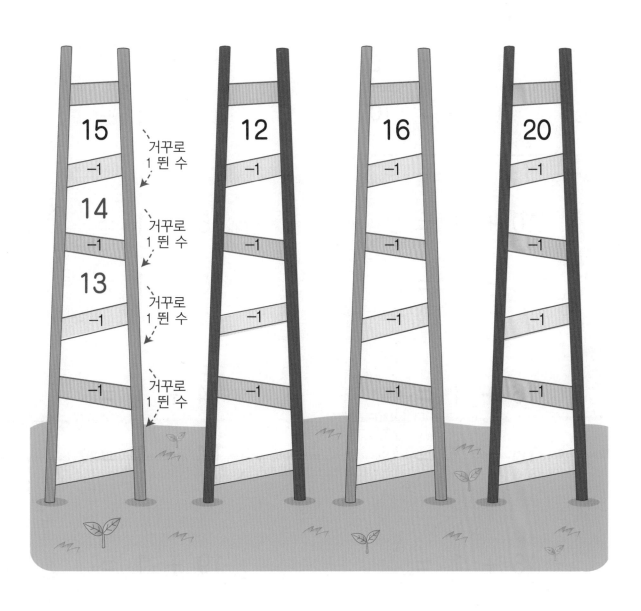

15			12			16			20
−1	거꾸로 1 뛴 수		−1			−1			−1
14									
−1	거꾸로 1 뛴 수		−1			−1			−1
13									
−1	거꾸로 1 뛴 수		−1			−1			−1
−1	거꾸로 1 뛴 수		−1			−1			−1

더하기와 빼기

 □ 안에 알맞은 수를 써넣으세요.

10 — 11 — 12

11 + 1 = 12

11 − 1 = 10

12 — 13 — 14

13 + 1 = ☐

13 − 1 = ☐

10 + 1 = ☐

10 − 1 = ☐

15 + 1 = ☐

15 − 1 = ☐

16 + 1 = ☐

16 − 1 = ☐

14 + 1 = ☐

14 − 1 = ☐

18 + 1 = ☐

18 − 1 = ☐

19 + 1 = ☐

19 − 1 = ☐

🌱 계산 결과가 같은 것끼리 선으로 이어 보세요.

10 − 1 •	• 13 + 1
15 − 1 •	• 16 − 1
14 + 1 •	• 17 − 1
20 − 1 •	• 8 + 1
9 + 1 •	• 11 − 1
15 + 1 •	• 18 + 1

Drill

20까지의 수

수의 순서에 맞게 빈칸에 알맞은 수를 써넣으세요.

| 8 | 9 | 10 | |

| 12 | 13 | | 15 |

| 13 | 14 | | 16 |

| 10 | | 12 | |

| 7 | | 9 | 10 |

| 15 | | 17 | |

| 11 | 12 | 13 | | 15 | 16 | |

| 7 | 8 | 9 | | 11 | | 13 |

| 14 | 15 | | | 18 | 19 | |

| 12 | 13 | 14 | | | 17 |

수의 순서에 맞게 빈칸에 알맞은 수를 써넣으세요.

1	2	3	4			7	8	9	
	12		14	15	16		18		20

1			4	5	6		8		10
11	12			15	16	17	18		

1	2	3		5	6	7			10
		13	14	15	16			19	

1	2	3			6		8	9	
11	12		14		16	17			20

20까지의
다음 수, 이전 수

○ 안에 알맞은 수를 써넣으세요.

10 ──다음 수──→ ◯   12 ──다음 수──→ ◯

14 ──다음 수──→ ◯   11 ──다음 수──→ ◯

15 ──다음 수──→ ◯   18 ──다음 수──→ ◯

19 ──다음 수──→ ◯   16 ──다음 수──→ ◯

9 ──다음 수──→ ◯   13 ──다음 수──→ ◯

◯ ←──이전 수── 12   ◯ ←──이전 수── 11

◯ ←──이전 수── 15   ◯ ←──이전 수── 17

○ 안에 알맞은 수를 써넣으세요.

◯ ←─ 이전 수 ─── (18)   ◯ ←─ 이전 수 ─── (14)

◯ ←─ 이전 수 ─── (20)   ◯ ←─ 이전 수 ─── (16)

◯ ←─ 이전 수 ─── (10)   ◯ ←─ 이전 수 ─── (13)

◯ ←─ 이전 수 (10) 다음 수 ─→ ◯   ◯ ←─ 이전 수 (15) 다음 수 ─→ ◯

◯ ←─ 이전 수 (14) 다음 수 ─→ ◯   ◯ ←─ 이전 수 (12) 다음 수 ─→ ◯

◯ ←─ 이전 수 (17) 다음 수 ─→ ◯   ◯ ←─ 이전 수 (19) 다음 수 ─→ ◯

◯ ←─ 이전 수 (11) 다음 수 ─→ ◯   ◯ ←─ 이전 수 (16) 다음 수 ─→ ◯

20까지의 더하기 1

□ 안에 알맞은 수를 써넣으세요.

10 + 1 = ☐   12 + 1 = ☐

14 + 1 = ☐   11 + 1 = ☐

17 + 1 = ☐   9 + 1 = ☐

16 + 1 = ☐   19 + 1 = ☐

18 + 1 = ☐   15 + 1 = ☐

13 + 1 = ☐   14 + 1 = ☐

 8 + 1 = ☐   17 + 1 = ☐

□ 안에 알맞은 수를 써넣으세요.

1 + 9 = ☐

1 + 11 = ☐

1 + 13 = ☐

1 + 10 = ☐

1 + 16 = ☐

1 + 15 = ☐

1 + 17 = ☐

1 + 18 = ☐

1 + 19 = ☐

1 + 12 = ☐

1 + 14 = ☐

1 + 10 = ☐

1 + 18 = ☐

1 + 19 = ☐

□ 안에 알맞은 수를 써넣으세요.

11 - 1 = ☐   10 - 1 = ☐

13 - 1 = ☐   15 - 1 = ☐

16 - 1 = ☐   14 - 1 = ☐

17 - 1 = ☐   19 - 1 = ☐

12 - 1 = ☐   18 - 1 = ☐

20 - 1 = ☐   11 - 1 = ☐

15 - 1 = ☐   13 - 1 = ☐

□ 안에 알맞은 수를 써넣으세요.

12 − 1 = ☐   20 − 1 = ☐

14 − 1 = ☐   16 − 1 = ☐

11 − 1 = ☐   13 − 1 = ☐

15 − 1 = ☐   17 − 1 = ☐

18 − 1 = ☐   10 − 1 = ☐

16 − 1 = ☐   19 − 1 = ☐

20 − 1 = ☐   14 − 1 = ☐

소마의 마술같은 원리셈

정답

1일차 11~20 알아보기

1주

🌱 개수를 세어 □ 안에 수를 써넣으세요.

11 12
13 14
15 16
17 18
19 20

🌱 동전을 세어 □ 안에 알맞은 수를 써넣으세요.

9 10
11 12
13 14
15 16
17 18
19 20

8 소마셈 - K2

1주 - 20까지의 수 9

2일차 20까지 수 세기

1주

🌱 10개씩 묶은 다음, 개수를 세어 써 보세요.

13 11
14 15
12 16
18 20

🌱 과녁의 점수를 세어 보세요.

12 13
11 15
14 16
17 20

10 소마셈 - K2

1주 - 20까지의 수 11

신나는 연산!

🌱 수의 순서에 맞게 1부터 20까지 점을 이어 그림을 완성하세요.

🌱 수의 순서에 맞게 길을 그려 보세요.

16 소마셈 – K2

1주 – 20까지의 수 17

5일차 **크기 비교**

🌱 개수를 세어 보고, 더 큰 수에 색칠하세요.

🌱 더 큰 수에 ○표 하세요.

18 소마셈 – K2

1주 – 20까지의 수 19

🌱 갈림길에서 가장 큰 수를 따라 길을 그려 보세요.

---

1 일 차 다음 수

🌱 □ 안에 다음 수를 써넣으세요.

| 11 | 12 | 13 | 14 | 15 | 16 | 17 | 18 | 19 | 20 |

11 ──다음 수→ 12

10 11 12 13
12 ──다음 수→ 13

11 12 13 14
13 ──다음 수→ 14

12 13 14 15
14 ──다음 수→ 15

13 14 15 16
15 ──다음 수→ 16

14 15 16 17
16 ──다음 수→ 17

15 16 17 18
17 ──다음 수→ 18

🌱 □ 안에 다음 수를 써넣으세요.

10 ──다음 수→ 11   11 ──다음 수→ 12

12 ──다음 수→ 13   16 ──다음 수→ 17

13 ──다음 수→ 14   15 ──다음 수→ 16

17 ──다음 수→ 18   16 ──다음 수→ 17

18 ──다음 수→ 19   19 ──다음 수→ 20

14 ──다음 수→ 15   13 ──다음 수→ 14

정답

2일차 이전 수

□ 안에 이전 수를 써넣으세요.

| 11 | 12 | 13 | 14 | 15 | 16 | 17 | 18 | 19 | 20 |

11 ← 이전 수 ← 12

12 13 14 15
12 ← 이전 수 ← 13

13 14 15 16
13 ← 이전 수 ← 14

14 15 16 17
14 ← 이전 수 ← 15

15 16 17 18
15 ← 이전 수 ← 16

16 17 18 19
16 ← 이전 수 ← 17

17 18 19 20
17 ← 이전 수 ← 18

□ 안에 이전 수를 써넣으세요.

10 ← 이전 수 ← 11
11 ← 이전 수 ← 12
13 ← 이전 수 ← 14
15 ← 이전 수 ← 16
14 ← 이전 수 ← 15
17 ← 이전 수 ← 18
16 ← 이전 수 ← 17
12 ← 이전 수 ← 13
18 ← 이전 수 ← 19
19 ← 이전 수 ← 20
11 ← 이전 수 ← 12
13 ← 이전 수 ← 14

24 소마셈 - K2

2주 - 20까지의 다음 수, 이전 수 25

3일차 다음 수와 이전 수

□ 안에 다음 수와 이전 수를 써넣으세요.

이전 수 다음 수
| 11 | 12 | 13 | 14 | 15 | 16 | 17 | 18 | 19 | 20 |

11 ← 이전 수 ← 12 → 다음 수 → 13

13 14 15
13 ← 이전 수 ← 14 → 다음 수 → 15

15 16 17
15 ← 이전 수 ← 16 → 다음 수 → 17

17 18 19
17 ← 이전 수 ← 18 → 다음 수 → 19

18 19 20
18 ← 이전 수 ← 19 → 다음 수 → 20

□ 안에 다음 수와 이전 수를 써넣으세요.

9 ← 이전 수 ← 10 → 다음 수 → 11
10 ← 이전 수 ← 11 → 다음 수 → 12
12 ← 이전 수 ← 13 → 다음 수 → 14
15 ← 이전 수 ← 16 → 다음 수 → 17
14 ← 이전 수 ← 15 → 다음 수 → 16
16 ← 이전 수 ← 17 → 다음 수 → 18
17 ← 이전 수 ← 18 → 다음 수 → 19
11 ← 이전 수 ← 12 → 다음 수 → 13
18 ← 이전 수 ← 19 → 다음 수 → 20
13 ← 이전 수 ← 14 → 다음 수 → 15

26 소마셈 - K2

2주 - 20까지의 다음 수, 이전 수 27

2주

🌱 20에서 시작하여 수를 거꾸로 세어 가며 길을 그려 보세요.

1 일 차   1 큰 수

3주   월   일

🌱 1개 더 색칠하여 1 큰 수를 써 보세요.

⑪ —1 큰 수→ 12

⑫ —1 큰 수→ 13

⑬ —1 큰 수→ 14

⑭ —1 큰 수→ 15

⑮ —1 큰 수→ 16

⑯ —1 큰 수→ 17

⑰ —1 큰 수→ 18

⑱ —1 큰 수→ 19

🌱 1개 더 색칠하여 1 큰 수를 써 보세요.

⑫ —1 큰 수→ 13

⑩ —1 큰 수→ 11

⑪ —1 큰 수→ 12

⑭ —1 큰 수→ 15

⑯ —1 큰 수→ 17

⑰ —1 큰 수→ 18

⑱ —1 큰 수→ 19

⑲ —1 큰 수→ 20

1 뛴 수

🌱 1 뛴 수를 써 보세요.

| 11 | 12 | 13 | 14 | 15 | 16 | 17 | 18 | 19 | 20 |

11 →1 뛴 수→ 12

12 →1 뛴 수→ 13

13 →1 뛴 수→ 14

14 →1 뛴 수→ 15

15 →1 뛴 수→ 16

16 →1 뛴 수→ 17

17 →1 뛴 수→ 18

18 →1 뛴 수→ 19

19 →1 뛴 수→ 20

11 →1 뛴 수→ 12

13 →1 뛴 수→ 14

🌱 1 뛴 수를 써 보세요.

12 →1 뛴 수→ 13   10 →1 뛴 수→ 11

9 →1 뛴 수→ 10   11 →1 뛴 수→ 12

13 →1 뛴 수→ 14   15 →1 뛴 수→ 16

17 →1 뛴 수→ 18   16 →1 뛴 수→ 17

18 →1 뛴 수→ 19   19 →1 뛴 수→ 20

14 →1 뛴 수→ 15   12 →1 뛴 수→ 13

더하기 1 (1)

🌱 □ 안에 알맞은 수를 써넣으세요.

1 뛴 수
| 11 | 12 | 13 | 14 | 15 |
11 + 1 = 12

1 뛴 수
| 12 | 13 | 14 | 15 | 16 |
12 + 1 = 13

13 + 1 = 14   14 + 1 = 15

15 + 1 = 16   16 + 1 = 17

17 + 1 = 18   18 + 1 = 19

19 + 1 = 20   11 + 1 = 12

12 + 1 = 13   14 + 1 = 15

🌱 빈칸에 알맞은 수를 써넣으세요.

4 일차 　더하기 1 (2)

□ 안에 알맞은 수를 써넣으세요.

10 + 1 = 11　　11 + 1 = 12

12 + 1 = 13　　13 + 1 = 14

14 + 1 = 15　　15 + 1 = 16

1씩 더해 가며 빈칸에 알맞은 수를 써넣으세요.

11 → 12 → 13 → 14 → 15

8 → 9 → 10 → 11 → 12

14 → 15 → 16 → 17 → 18

16 → 17 → 18 → 19 → 20

40 소마셈 - K2

5 일차 　바꾸어 더하기

□ 안에 알맞은 수를 써넣으세요.

10 + 1 = 11
1 + 10 = 11

12 + 1 = 13
1 + 12 = 13

13 + 1 = 14
1 + 13 = 14

14 + 1 = 15
1 + 14 = 15

□ 안에 알맞은 수를 써넣으세요.

1 + 12 = 13　　13 + 1 = 14

1 + 10 = 11　　1 + 11 = 12

18 + 1 = 19　　17 + 1 = 18

1 + 9 = 10　　16 + 1 = 17

19 + 1 = 20　　1 + 14 = 15

1 + 11 = 12　　1 + 10 = 11

42 소마셈 - K2

빈칸에 알맞은 수를 써넣으세요.

$1 + 10 = 11$

$+$

1

$=$

$1 + 11 = 12$

$1 + 15 = 16$

$+$

16

$=$

$17 + 1 = 18$

$12 + 1 = 13$

$+$

17

$=$

$1 + 18 = 19$

$1 + 19 = 20$

$+$

13

$=$

$14 + 1 = 15$

---

 1 일 차 **1 작은 수**

1개를 지워 1 작은 수를 써 보세요.

$11 \leftarrow$ 1 작은 수 $\leftarrow 12$

$12 \leftarrow$ 1 작은 수 $\leftarrow 13$

$13 \leftarrow$ 1 작은 수 $\leftarrow 14$

$14 \leftarrow$ 1 작은 수 $\leftarrow 15$

$15 \leftarrow$ 1 작은 수 $\leftarrow 16$

$16 \leftarrow$ 1 작은 수 $\leftarrow 17$

$17 \leftarrow$ 1 작은 수 $\leftarrow 18$

$18 \leftarrow$ 1 작은 수 $\leftarrow 19$

1개를 지워 1 작은 수를 써 보세요.

$12 \leftarrow$ 1 작은 수 $\leftarrow 13$

$10 \leftarrow$ 1 작은 수 $\leftarrow 11$

$14 \leftarrow$ 1 작은 수 $\leftarrow 15$

$16 \leftarrow$ 1 작은 수 $\leftarrow 17$

$17 \leftarrow$ 1 작은 수 $\leftarrow 18$

$14 \leftarrow$ 1 작은 수 $\leftarrow 15$

$18 \leftarrow$ 1 작은 수 $\leftarrow 19$

$19 \leftarrow$ 1 작은 수 $\leftarrow 20$

정답

2 일차 거꾸로 1 뛴 수

4주

거꾸로 1 뛴 수를 써 보세요.

| 11 | 12 | 13 | 14 | 15 | 16 | 17 | 18 | 19 | 20 |

11 ← 거꾸로 1 뛴 수 12

12 ← 거꾸로 1 뛴 수 13

14 ← 거꾸로 1 뛴 수 15

16 ← 거꾸로 1 뛴 수 17

18 ← 거꾸로 1 뛴 수 19

11 ← 거꾸로 1 뛴 수 12

13 ← 거꾸로 1 뛴 수 14

15 ← 거꾸로 1 뛴 수 16

17 ← 거꾸로 1 뛴 수 18

19 ← 거꾸로 1 뛴 수 20

14 ← 거꾸로 1 뛴 수 15

거꾸로 1 뛴 수를 써 보세요.

12 ← 거꾸로 1 뛴 수 13

10 ← 거꾸로 1 뛴 수 11

13 ← 거꾸로 1 뛴 수 14

15 ← 거꾸로 1 뛴 수 16

18 ← 거꾸로 1 뛴 수 19

12 ← 거꾸로 1 뛴 수 13

11 ← 거꾸로 1 뛴 수 12

14 ← 거꾸로 1 뛴 수 15

16 ← 거꾸로 1 뛴 수 17

17 ← 거꾸로 1 뛴 수 18

19 ← 거꾸로 1 뛴 수 20

16 ← 거꾸로 1 뛴 수 17

48 소마셈 - K2

4주 - 20까지의 거꾸로 1 뛴 수 **49**

3 일차 빼기 1 (1)

4주

□ 안에 알맞은 수를 써넣으세요.

거꾸로 1 뛴 수
| 11 | 12 | 13 | 14 | 15 |
12 - 1 = 11

14 - 1 = 13

16 - 1 = 15

18 - 1 = 17

20 - 1 = 19

13 - 1 = 12

거꾸로 1 뛴 수
| 12 | 13 | 14 | 15 | 16 |
13 - 1 = 12

15 - 1 = 14

17 - 1 = 16

19 - 1 = 18

11 - 1 = 10

16 - 1 = 15

빈칸에 알맞은 수를 써넣으세요.

-1
12	11
13	12
14	13

-1
14	13
15	14
16	15

-1
9	8
10	9
11	10

-1
15	14
14	13
13	12

-1
18	17
17	16
16	15

-1
20	19
19	18
18	17

50 소마셈 - K2

4주 - 20까지의 거꾸로 1 뛴 수 **51**

4일차 빼기 1 (2)

□ 안에 알맞은 수를 써넣으세요.

11 - 1 = 10

12 - 1 = 11

13 - 1 = 12

14 - 1 = 13

15 - 1 = 14

16 - 1 = 15

1씩 빼어 가며 빈칸에 알맞은 수를 써넣으세요.

15	거꾸로 1 뛴 수	12	16	20
-1		-1	-1	-1
14	거꾸로 1 뛴 수	11	15	19
13	거꾸로 1 뛴 수	10	14	18
12	거꾸로 1 뛴 수	9	13	17
11		8	12	16

5일차 더하기와 빼기

□ 안에 알맞은 수를 써넣으세요.

10 — 11 — 12
11 + 1 = 12
11 - 1 = 10

12 — 13 — 14
13 + 1 = 14
13 - 1 = 12

10 + 1 = 11
10 - 1 = 9

15 + 1 = 16
15 - 1 = 14

16 + 1 = 17
16 - 1 = 15

14 + 1 = 15
14 - 1 = 13

18 + 1 = 19
18 - 1 = 17

19 + 1 = 20
19 - 1 = 18

계산 결과가 같은 것끼리 선으로 이어 보세요.

10 - 1 ● ● 13 + 1

15 - 1 ● ● 16 - 1

14 + 1 ● ● 17 - 1

20 - 1 ● ● 8 + 1

9 + 1 ● ● 11 - 1

15 + 1 ● ● 18 + 1

1주차 drill

20까지의 수

수의 순서에 맞게 빈칸에 알맞은 수를 써넣으세요.

| 8 | 9 | 10 | **11** |

| 12 | 13 | **14** | 15 |

| 13 | 14 | **15** | 16 |

| 10 | **11** | 12 | 13 |

| 7 | **8** | 9 | 10 |

| 15 | **16** | 17 | 18 |

| 11 | 12 | 13 | **14** | 15 | 16 | **17** |

| 7 | 8 | 9 | **10** | 11 | **12** | 13 |

| 14 | 15 | **16** | **17** | 18 | 19 | **20** |

| 12 | 13 | 14 | **15** | **16** | 17 | 18 |

수의 순서에 맞게 빈칸에 알맞은 수를 써넣으세요.

| 1 | 2 | 3 | 4 | **5** | **6** | 7 | 8 | 9 | **10** |
| **11** | 12 | **13** | 14 | 15 | 16 | **17** | 18 | **19** | 20 |

| 1 | 2 | **3** | 4 | 5 | 6 | **7** | 8 | **9** | 10 |
| 11 | 12 | **13** | **14** | 15 | 16 | 17 | 18 | **19** | **20** |

| 1 | 2 | 3 | **4** | 5 | 6 | 7 | **8** | **9** | 10 |
| **11** | **12** | 13 | 14 | 15 | 16 | **17** | **18** | 19 | **20** |

| 1 | 2 | 3 | **4** | **5** | 6 | 7 | 8 | **9** | **10** |
| 11 | 12 | **13** | 14 | **15** | 16 | 17 | **18** | **19** | 20 |

2주차 drill

20까지의 다음 수, 이전 수

◯ 안에 알맞은 수를 써넣으세요.

(10) —다음 수→ (11)　　(12) —다음 수→ (13)

(14) —다음 수→ (15)　　(11) —다음 수→ (12)

(15) —다음 수→ (16)　　(18) —다음 수→ (19)

(19) —다음 수→ (20)　　(16) —다음 수→ (17)

(9) —다음 수→ (10)　　(13) —다음 수→ (14)

(11) ←이전 수— (12)　　(10) ←이전 수— (11)

(14) ←이전 수— (15)　　(16) ←이전 수— (17)

◯ 안에 알맞은 수를 써넣으세요.

(17) ←이전 수— (18)　　(13) ←이전 수— (14)

(19) ←이전 수— (20)　　(15) ←이전 수— (16)

(9) ←이전 수— (10)　　(12) ←이전 수— (13)

(9) ←이전 수— (10) —다음 수→ (11)　　(14) ←이전 수— (15) —다음 수→ (16)

(13) ←이전 수— (14) —다음 수→ (15)　　(11) ←이전 수— (12) —다음 수→ (13)

(16) ←이전 수— (17) —다음 수→ (18)　　(18) ←이전 수— (19) —다음 수→ (20)

(10) ←이전 수— (11) —다음 수→ (12)　　(15) ←이전 수— (16) —다음 수→ (17)

3주차 drill

20까지의 더하기 1

□ 안에 알맞은 수를 써넣으세요.

10 + 1 = 11   12 + 1 = 13

14 + 1 = 15   11 + 1 = 12

17 + 1 = 18   9 + 1 = 10

16 + 1 = 17   19 + 1 = 20

18 + 1 = 19   15 + 1 = 16

13 + 1 = 14   14 + 1 = 15

8 + 1 = 9   17 + 1 = 18

□ 안에 알맞은 수를 써넣으세요.

1 + 9 = 10   1 + 11 = 12

1 + 13 = 14   1 + 10 = 11

1 + 16 = 17   1 + 15 = 16

1 + 17 = 18   1 + 18 = 19

1 + 19 = 20   1 + 12 = 13

1 + 14 = 15   1 + 10 = 11

1 + 18 = 19   1 + 19 = 20

P 62 ~ 63

4주차 drill

20까지의 빼기 1

□ 안에 알맞은 수를 써넣으세요.

11 - 1 = 10   10 - 1 = 9

13 - 1 = 12   15 - 1 = 14

16 - 1 = 15   14 - 1 = 13

17 - 1 = 16   19 - 1 = 18

12 - 1 = 11   18 - 1 = 17

20 - 1 = 19   11 - 1 = 10

15 - 1 = 14   13 - 1 = 12

□ 안에 알맞은 수를 써넣으세요.

12 - 1 = 11   20 - 1 = 19

14 - 1 = 13   16 - 1 = 15

11 - 1 = 10   13 - 1 = 12

15 - 1 = 14   17 - 1 = 16

18 - 1 = 17   10 - 1 = 9

16 - 1 = 15   19 - 1 = 18

20 - 1 = 19   14 - 1 = 13

P 64 ~ 65